Dominique Guillemant

VIVE LES VACANCES!

Illustrations de Alistar

C'est l'été ! Sylvain est très content,
il adore les grandes vacances.
Cette année, son papy et sa mamie
l'accompagnent.

Mais où vont-ils passer leurs vacances ?

ILSVONTPASSERLEURSVACANCESÀLAMER

_ _ _   _ _ _ _   _ _ _ _ _ _

_ _ _ _   _ _ _ _ _ _ _

_ _   _ _   _ _ _

Les voilà finalement arrivés !
Sylvain ouvre sa valise, il a pensé
à tout.

Associe les mots et les images.

F 1 le ballon

B 2 la crème solaire

A 3 le maillot de bain

D 4 le short

E 5 le t-shirt

C 6 la casquette

G 7 les sandales

Le lendemain, Sylvain se réveille
dans son joli lit : il ressemble
à un bateau.
Mais il est déjà 8 heures…
courons vite sur la plage !

Quelle heure est-il ?
Complète le réveil
de Sylvain.

Sur la plage, Sylvain joue
au ballon avec son papy.
Son ballon est jaune
comme le soleil !

Sa mamie bronze sur sa chaise longue. Mais où est son petit chien Calin ?

Calin a un problème, il a peur
de l'eau et il ne sait pas nager.
Mais Sylvain a une idée…

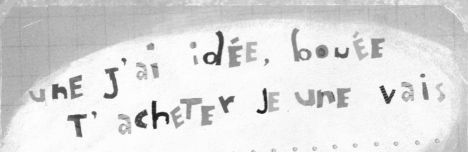

une J'ai idée, bouée T'acheter je une vais

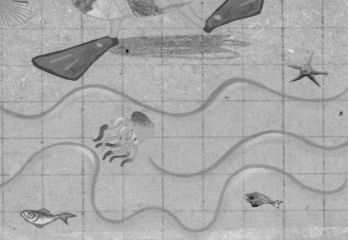

Que dit Sylvain à son meilleur ami Calin ? Remets la phrase dans le bon ordre.

Maintenant Sylvain et Calin prennent
un bain de mer.
Calin aime beaucoup sa bouée rouge,
verte et jaune.

Colorie la
bouée de Calin.

Sylvain nage comme un poisson dans l'eau ! Il porte un maillot de bain blanc et bleu.

6

Comme il fait chaud !
Le marchand de glace
offre une glace à trois
boules à Sylvain.

F_AI_E

C_OCOLA_

C_TRO_

À quel parfum ?
Complète correctement.

10¢

Papy et mamie ont soif, ils
préfèrent boire un jus de fruits
avec une paille.

Sylvain décide d'écrire une
carte postale à sa meilleur amie.
Sa meilleure amie s'appelle
Angélique.

Complète avec les mots manquants.

Chère ....
Il fait ....,
le .... brille.
Je joue avec Calin
sur la ....
et je ramasse des
.... avec
mamie et papy.
Je mange des
.... à la
fraise, au citron et
au chocolat.

Bises
Sylvain et Calin !

Angélique Dupuis
153 Rue des Vignes
75016 Paris
France

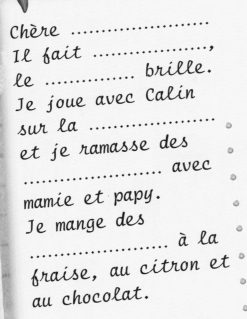

PLAGE   GLACES   COQUILLAGES
SOLEIL   CHAUD   ANGÉLIQUE

Sylvain adore faire des pâtés dans le sable.

Il a des moules en forme de poissons, d'étoiles de mer, de bateaux, de coquillages... Il fait aussi un château de sable !

Attention Calin !
Il y a un trou !

Trop tard...

Avec toutes ces aventures,
Sylvain et Calin ont besoin
de se reposer un peu.
Ils bronzent sur la plage…

…mais Calin n'a pas de chance.
Un crabe vient pincer son oreille.
Pauvre Calin !

Sylvain et Calin décident d'aller
à la pêche. Ils pêchent beaucoup
de poissons de toutes les couleurs.
Comme c'est amusant !

Combien de poissons ont-ils pêché ?
Compte les poissons et complète la phrase.

Ils ont pêché .... poissons.

Quelle bonne pêche !
Le papy de Sylvain décide
de griller ces beaux poissons.
Sylvain et Calin ont très
faim. Comme ça sent bon !
Sylvain ramasse des
coquillages et les met dans
son seau.

Que dit-il à Calin ?
Remets les coquillages dans le bon
ordre et lis.

trouvé ?

as

que tu

qu'est-ce

Calin

Calin a trouvé une bouteille avec
un message. Qu'est-ce que dit ce
message ?

Utilise le code secret.

A
B
C

E
N
O

S
T
U
V

B O N N E S

V A C A N C E S

A T O U S !

Jouons ensemble !

1 Mots illustrés.

1
2
3
4
5
6
7
8
9

10
11
12
13
14

2 **Vrai ou faux ?**

Vrai Faux

1 Sylvain passe ses vacances à la mer.

2 Dans sa valise il y a une bouée.

3 Le ballon de Sylvain est bleu.

4 Calin ne sait pas nager.

5 Sylvain mange une glace à trois boules.

6 Son papy fait un château de sable.

3 **Retrouve les phrases.**

1 SYLVAINADORELESGRANDESVACANCES

2 SONLITRESSEMBLEÀUNBATEAU

3 SYLVAINETCALINPRENNENTUNBAINDEMER

4 CALINATROUVÉUNEBOUTEILLEAVECUNMESSAGE

4 Anagrammes.

1 CATTUSQEE   **2** COLLQUIAGE   **3** TEBAAU

4 ÉOILET ED MRE   **5** TEIBOULLE   **6** GCELA

5 Associe chaque action à la bonne image.

A    **B**

C    **D**

1 _B_   Il pêche des poissons.
2 _D_   Il ramasse des coquillages.
3 _A_   Il mange une glace.
4 _C_   Il fait des pâtés dans le sable.

6 **Lis et colorie.**

1 Une glace à deux boules à la fraise et au chocolat.
2 Deux poissons rouges et une étoile de mer bleue.
3 Un ballon bleu et vert.
4 Un maillot de bain de ta couleur préférée.

7 **Qu'est-ce que tu aimes faire à la mer ?**

Coche tes réponses et complète la phrases.

Aller à la plage
Prendre un bain de mer
Manger une glace
Faire des pâtés dans le sable
Aller à la pêche
Ramasser des coquillages

À la mer j'aime _____

_____ .

Fabriquons un manchon à air

 **Du papier crépon rouge et vert**

De la ficelle

Des œillets autocollants

Des ciseaux

De la colle

1
Découpe un trapèze dans le papier rouge.

2
Colle le trapèze en forme de cône.

3
Fais deux trous en haut du cône et colle les oeillets. Fais passer la ficelle par les deux trous.

4
Découpe des bandes de papier vert.

5 Fais passer de la ficelle ici.

Colle les bandes de papier vert pour faire la queue de ton manchon à air.

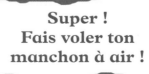

**Super !
Fais voler ton
manchon à air !**